KB209631

모두 타 버린 것은 아니야

레이놀즈 & 그리핀 그리고 황석희

모두 타 버린 것은 아니야

글 제이슨 레이놀즈 | 그림 제이슨 그리핀 | 옮김 황석희

초판 1쇄 발행 2023년 11월 1일
펴낸이 도승철 | 펴낸곳 밝은미래 | 등록 2005년 5월 2일 (제105-14-87935호)
주소 경기도 파주시 회동길 349 3층 | 전화 031-955-9550
팩스 031-955-9555 | 밝은미래 홈페이지 http://www.bmirae.com
편집 송재우 | 디자인 문고은 | 마케팅 김경훈 | 경영지원 강정희
이미지 수정 장세진

ISBN 978-89-6546-679-6 43840

우리 삶에서 가장 이상했던 한 해

우리가 잃은 모든 이들과

우리가 배운 모든 것들을 위하여

— R&G

숨 하나

그리고 난 여기에 앉아

엄마가 왜 채널을 바꾸지 않는지

왜 뉴스는 주제를

바꾸지 않는지

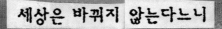

세상은 바뀌지 않는다느니

세상을   대하는 방식이나

서로를 대하는 방식이

바꿔지 않는단 말만 하는지

혹시 내 동생의

비디오 게임 화면을 가려도

동생은 날 올려다보지 않을 것인지

~ MY MOTHER FOLLOWED HER HEART.
SHE WOULD LEAVE ~
FORTH TRAVEL TIME

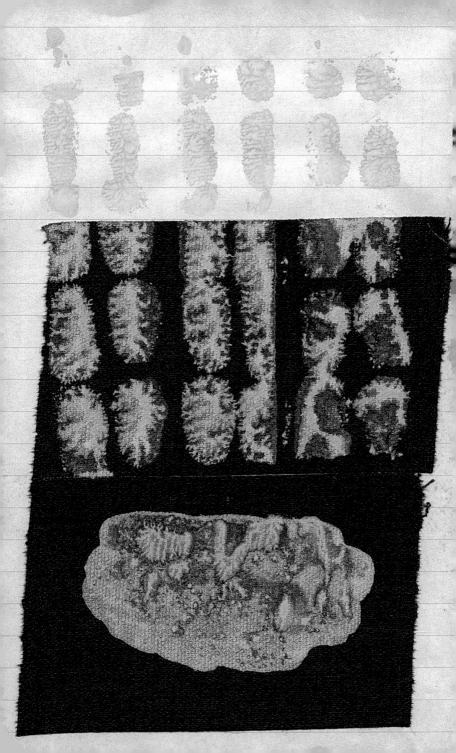

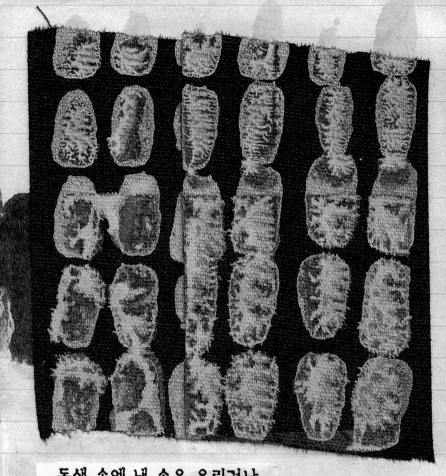

동생 손에 내 손을 올리거나

팔꿈치를 주먹처럼 쓰면서

갈비뼈에 송곳 펀치를

꽂아

심장을 두드려 깨우려 해도

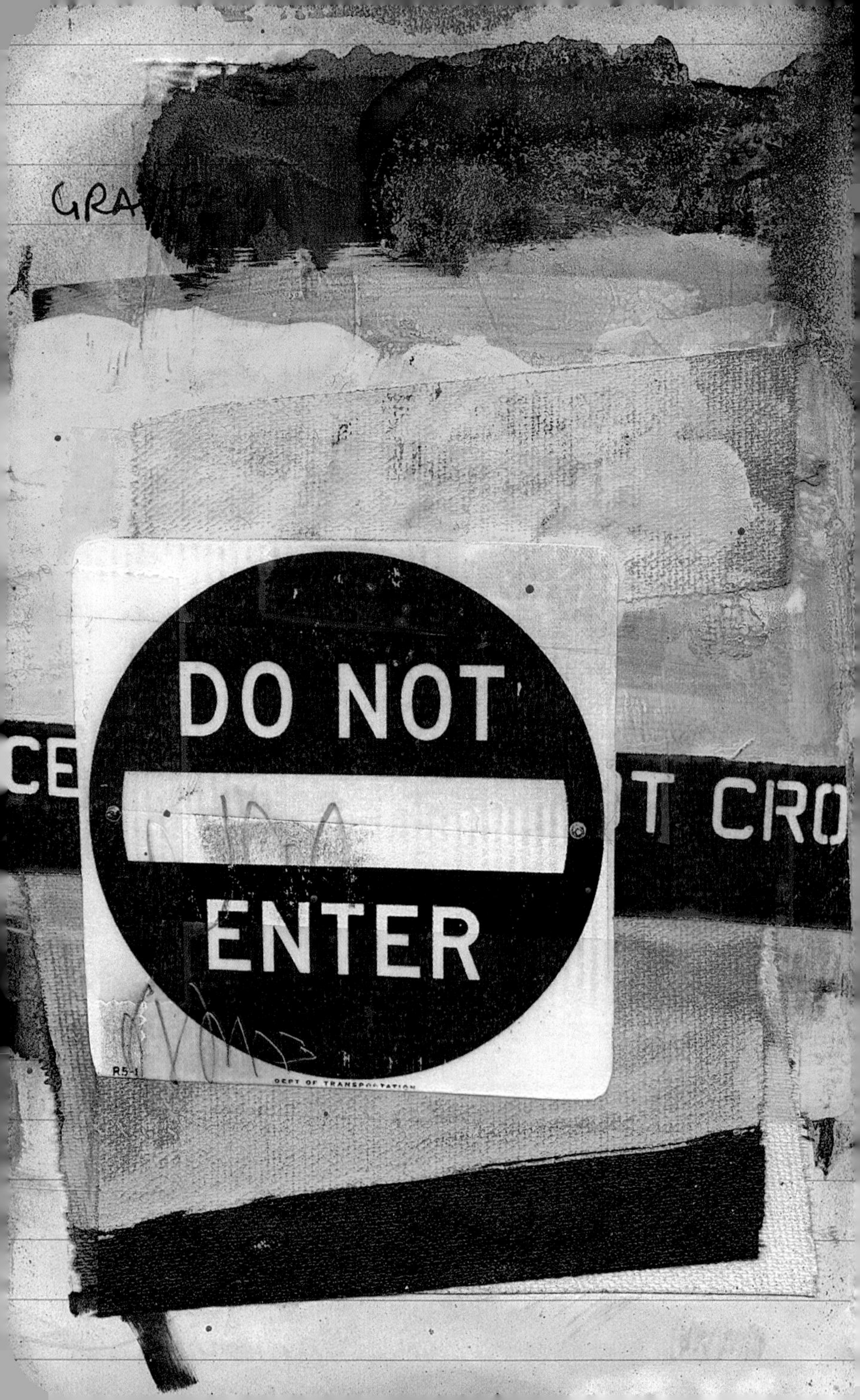
GRA
DO NOT
ENTER
CE
T CRO
DEPT OF TRANSPORTATION

신음 소리만 내고 날 무시한 채

쳐다보지도 않을지 궁금하던 순간에

뉴스에서 어떤 여자가 말하길

"또 다른 여성이 조금 전······"

"자, 스튜디오 나와 주세요."라고 하자

어떤 남자가 말하길

"또 다른 남성이 조금 전 처참하게……"

그러고는 두 사람 모두

내 또래 아이가

숨을 쉴 수 없었다고 말하자

엄마는 이 집의 텁텁한 열기를 밀어내는

낡은 선풍기처럼 머리를

동쪽에서 서쪽으로 빙빙 돌리며

저해상도 삶을 비추는

고해상도 빛에

무의미하게 시선을 고정한 채

눈에서 피곤을 닦아냈는데

엄마가 뭘 생각하며 보는지

우리 남매들 얘기라도

저렇게 볼 것인지 영 모르겠고

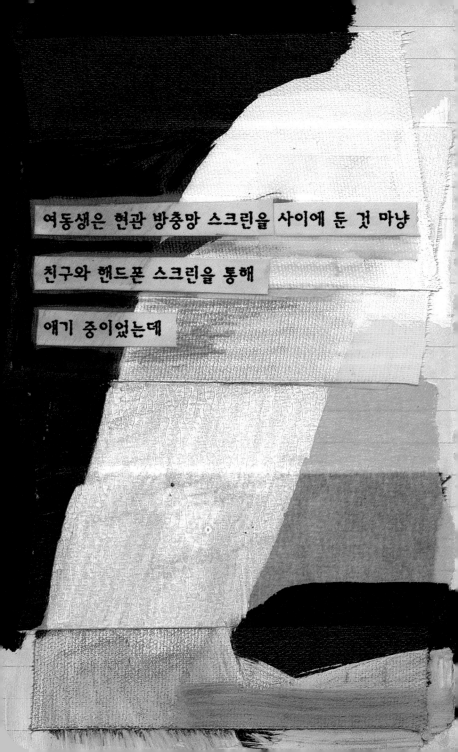

여동생은 현관 방충망 스크린을 사이에 둔 것 마냥

친구와 핸드폰 스크린을 통해

얘기 중이었는데

어떤 시위에 관한 이야기였고

이런저런 소문에 따르면

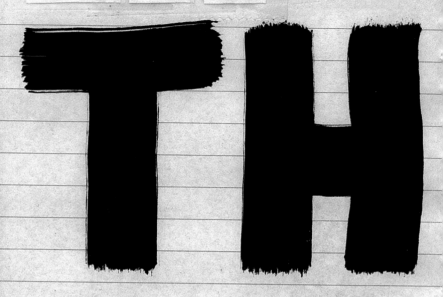
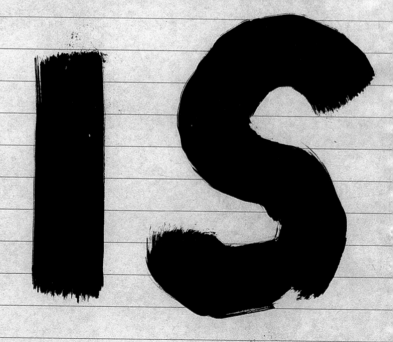

전국에서 사람들이

FRAGILE

전국에서 사람들이

거리에 모여들어

살 자유와

웃을 자유를

요구하고

외치며

닭이 찻길을 건너는   이유는

무서워도 닭살이 돋지 않는 걸

증명하려는 거라는 둥

시덥잖은 농담에 웃을 자유와

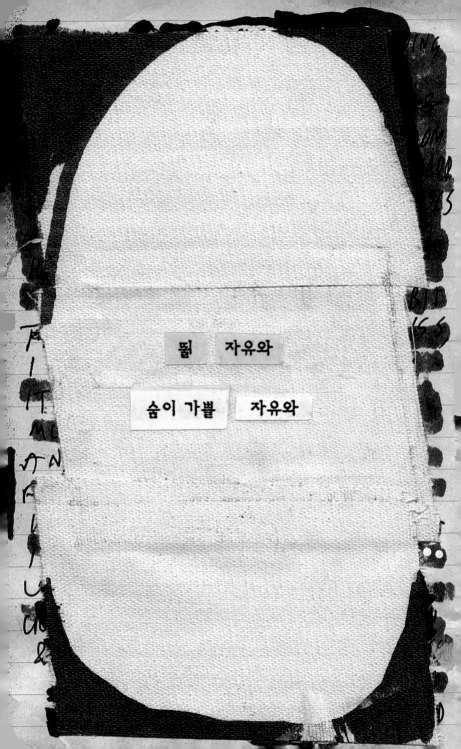

뜀 자유와

숨이 가쁠 자유와

숨을 가다듬을 　자유와

규제들이 재조정될 거란

걱정 없이

놀 자유와

숨 쉴 자유와

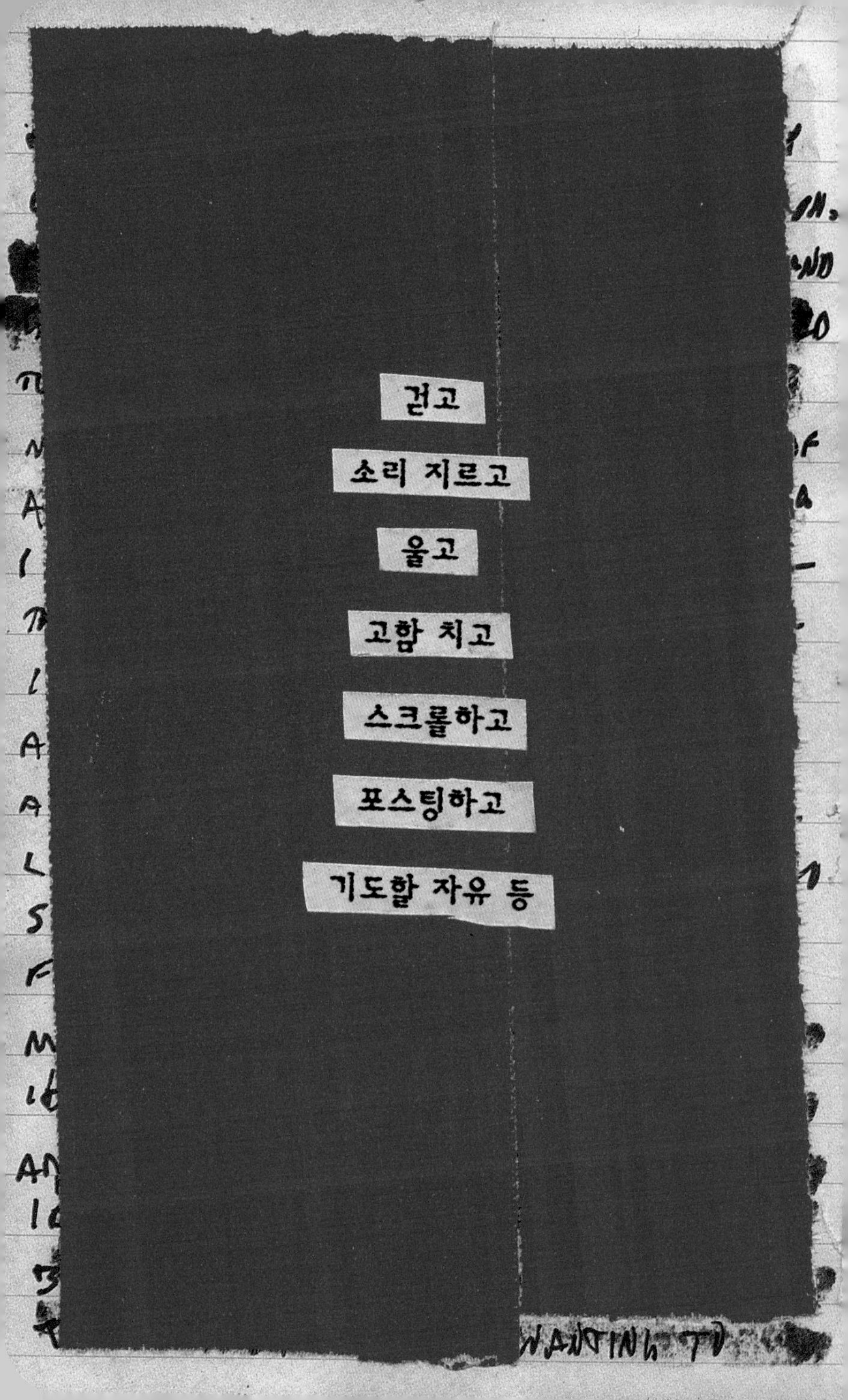

걷고

소리 지르고

울고

고함 치고

스크롤하고

포스팅하고

기도할 자유 등

이런저런 것들을

요구하고 있다는데

이 자유를 위한

싸움이라는 것이

나처럼 생긴 누군가가

주먹을   치켜들어

바람을 향해 휘두르는 느낌

혹은 그네를 타는 느낌이어서

뒤로 당겨졌다가

다시   뒤로   뒤로

다시 뒤로   뒤로   뒤로

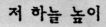

저 하늘 높이

날아갈 만큼

저 위로 손을 뻗어

공기와 하늘을 움켜잡고

최루 가스와 눈물로 된 배개 구름을 뚫으려

내 여동생과 동생 친구는

마스크와 가방에

챙길 것들에 관한

이야기를 나누며

그곳에서

숨길 방법을 뒤졌고

우리 엄마는 아무 말도 없이

뉴스만 보고 있었고

내 남동생은

고개를 처박고

게임을 하며

바쁘게 손을 놀리면서

목숨을　하나 더 얻으려

미친듯이 싸웠다.

코로 들이마시고

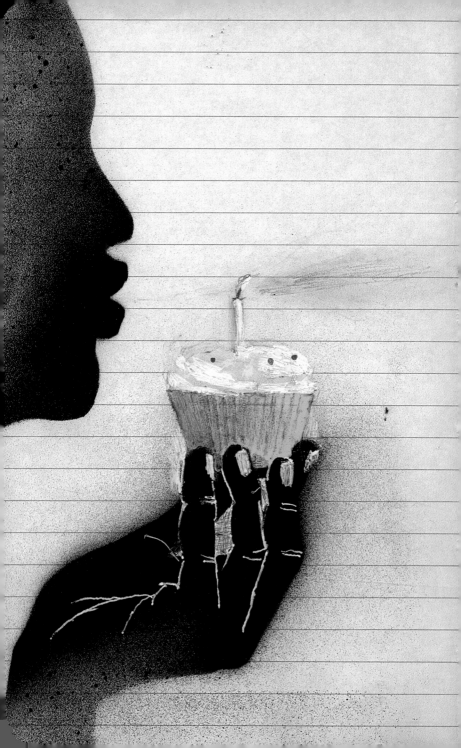

입으로 뱉으며

숨 하나

숨 둘

그리고 난 여기에 앉아

엄마가 왜 채널을 돌리지 않는지

아빠는 왜 저쪽 방에서

계속 기침을 하는지

왜 그 소리가 아빠 몸속에서

뭔가가 살아가는 듯하면서도

동시에 뭔가가

죽어가는 듯이 들리는지

왜 그 소리가 아빠 몸속에서

뭔가가 부서져 날아가는 듯하면서

동시에 뭔가가　부서져

내려앉는 듯이 들리는지

왜 덜그럭거리는

쇠지레 소리처럼

뭔가가 들이닥치려는 듯하면서도

동시에 **터져나가려는** 듯이 들리는지

궁금하던 그때

열반

콜록

또 콜록

또 콜록

또 콜록

또 콜록

또 콜록

또 콜록

또 콜록

또 콜록

또 콜록

그때 엄마는

텔레비전을 응시하며

상심을 꾹꾹 눌러

밖으로 나오지 못하게

막으려 애썼고

내 남동생은

자기 기록을 깨려고

아직도 게임 중이었고

내 여동생은

어떡해야 자유를

되찾을 것인지

전화하는 중이었고

나는 모두를

뒤로 한 채

아빠를 살피러 가 보니

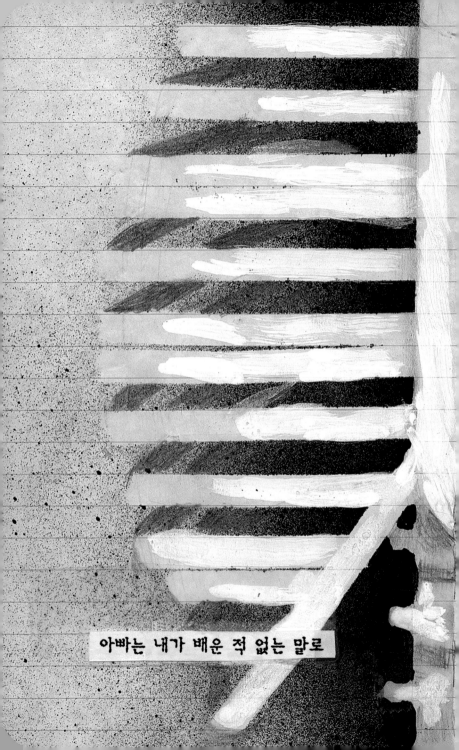

아빠는 내가 배운 적 없는 말로

어떤 노래를　토해 내고　있었는데

침대에 누운 아빠의 몸은

조율이 틀어진 악기처럼

어쩌된 건지

천둥소리만 연주했고

결국 점점 커져

비구름으로 변해

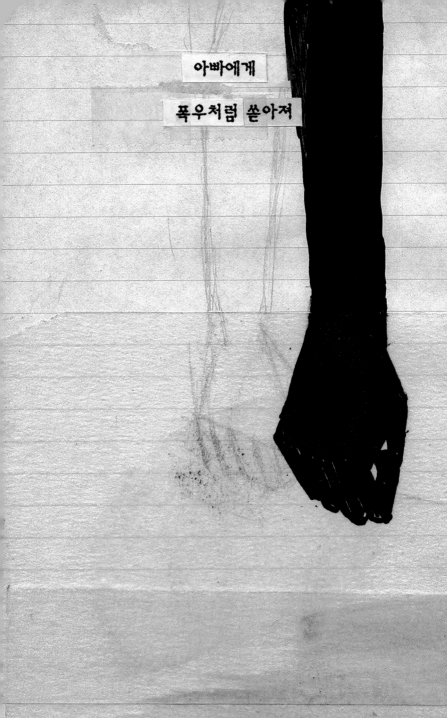

아빠에게

폭우처럼 쏟아져

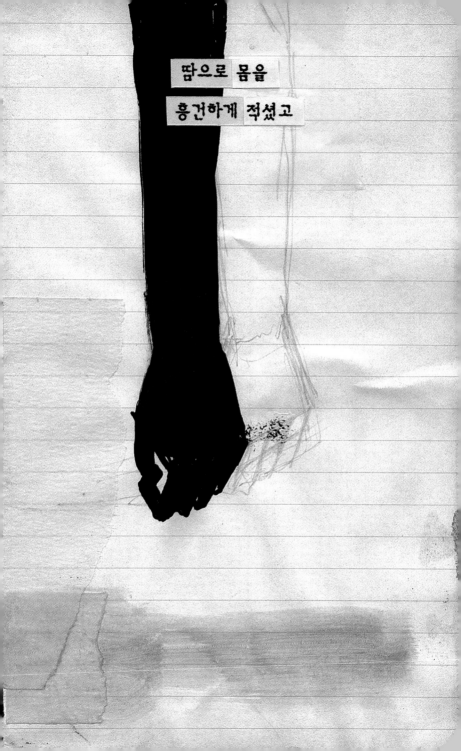

땀으로 몸을

흥건하게 적셨고

아빠의 살갗은

빛을 내는 것처럼

흐릿하게 번들거려

마치 아빠가 어둠을 비추는 달을

집어삼킨 것 같았지만

그건 단지 고열 때문이었고

마치 달보다 밝게 타오르는 │ 태양을

집어삼킨 듯이

아빠가 다시 기침하니까

엄마가 그 방엔 들어가지 말래서

문틈으로 몰래몰래

훔쳐보자　아빠는

눈이 마주칠 때마다　웃으며

고열이 아직 아빠의 빛을

모두 태워 버리지

못했음을 보여 줬고

이제 몇 주만 있으면 멀쩡하게

곧 몸이 찌그러져라 껴안고

요란스레 장난도 치고

특기인 유치한 농담도

목이 가래에 막혀 　콜록대는 일 없이

할 수 있을 거라며

걱정하지 말라고

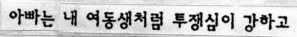

아빠는 내 여동생처럼 투쟁심이 강하고

내 남동생처럼 경쟁심이 세고

나 같은 전사이기도 하다며

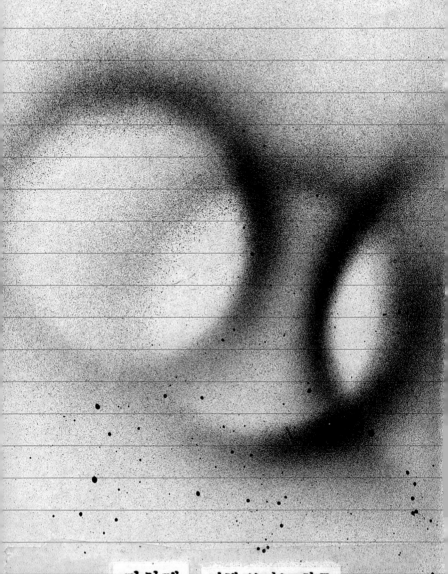

과하게   진해 보이는 차를

한 모금 마시고는

너무 말이 많은 것 같은

텔레비전을 다시 쳐다봤고

엄마가 거실에서 보고 있는 것과

똑같은 걸 보고 있어서

난 아빠가 왜

채널을 바꾸지 않는지

왜 뉴스는

주제를 바꾸지도 않고

우리가 마스크를 쓰지 않거나

안전 거리를 유지하지 않거나

손을 씻지 않아서

병을 치유할 수 없다고만 하는지

왜 누군가를 안는 건

아직 먼 이야기고

반대편에 앉으라는지 궁금했는데

아빠는 텔레비전을 보다가

날 돌아보며 미소 짓고는

입꼬리를 올린 채

두 팔을 위로 올리고

입꼬리를 올린 채로

두 팔을 위로 **올려** 마치

날 안은 듯이

내가 떨어지기 전에

날 붙잡으려는 듯이

그 미소의 가장 자리에

금이 가는 걸 막으려는 듯이

막 나오려는 기침을

막으려는 듯이

마치　목 안의 블루스 트럼펫을

뮤트하듯이

마치　감사함 아래 천둥소릴

숨기려 하는 것 같았다.

코로 들이마시고

입으로 뱉으며

숨 하나

숨 둘

숨 셋

그리고 난 여전히 여기 앉아

still sitting here
wondering why

여전히 여기 앉아

고개를 갸웃대며

왜   여전히   앉아 있는   것인지

왜 편히 눕지도 | 않는 건지 | 궁금했지만

자리에서 일어나

산소 마스크를 찾든

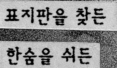

표지판을 찾든

한숨을 쉬든

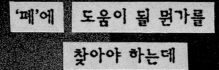
'폐'에 도움이 될 먼가를
찾아야 하는데

물 속에 잠긴 집에서

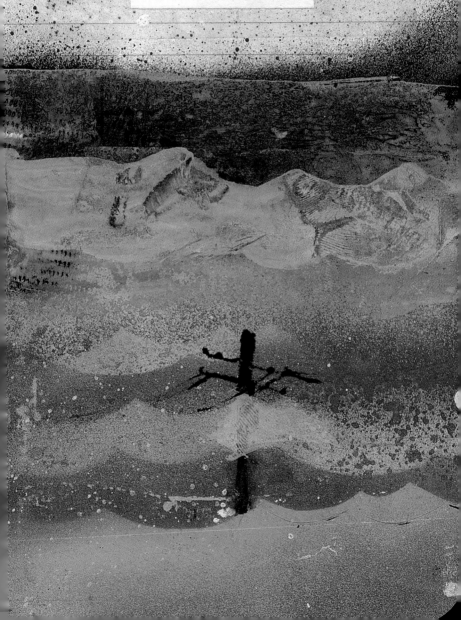

사는 기분이라

나 빼고 온 세상이

씨근거리는 기분이고

걱정은 한여름에 입은

니트 스웨터 같고

여름에 니트 스웨터를 입으면

숨이 막히는 법이라

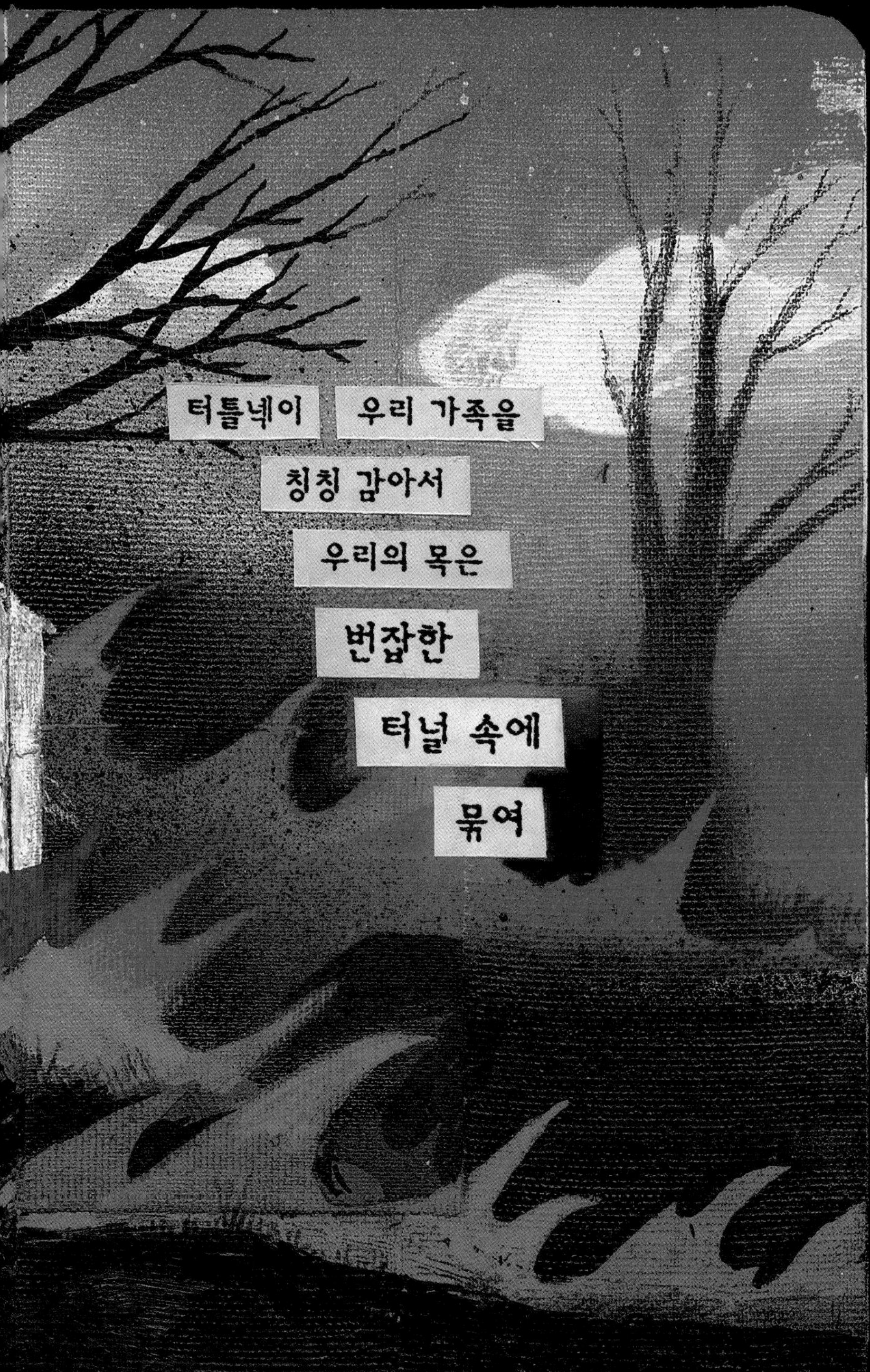

터틀넥이 우리 가족을
칭칭 감아서
우리의 목은
번잡한
터널 속에
묶여

마치 우리가

질식하고 있다는 걸

말할 수 있는 사람이

나뿐인 것 같아서

일어나

집 안을 뒤지며

산소 마스크를 찾았는데

엄마는

사소한 것들까지

다 간직하는 분이고

아빠는

아무것도 버리지 않는

분이라서

(이 두 가지 사실이 같은 말인 것

같으면서도 그렇지 않지만

지금은 중요한 게 아닌데 왜냐하면)

지금 중요한 것은

아마도

여기 어딘가에 산소 마스크가

있다는 것이라서

서랍 속이나

소파 밑이나

바늘과 실이
살고 있는 쿠키 깡통 속이나

비상금이 살고 있는

신발 상자 속이나

낡고 무거운 냄비들이

살고 있는 찬장 속이나

거미들이 살고 있는

옷장 속이나

그 모든 곳을

뒤지고 또 뒤져도

쓸 만한 것 하나

찾을 수 없어서

다시 소파로 무너져 앉아

아직도 그대로인 채널을 바라보니

뉴스가 드디어 광고로 넘어갔고

무슨 광고였는지 기억이 안 났지만

뭘 파는지 기억도 안 났지만

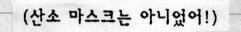
(산소 마스크는 아니었어!)

TEN MASKS

그게 뭐였든

우리 엄마의 턱선이

움찔했는데

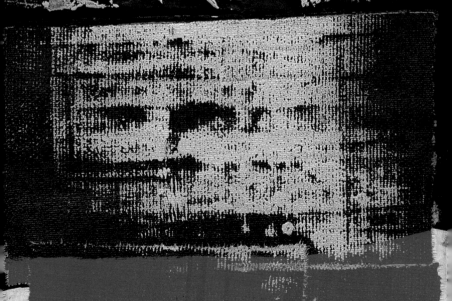

아주 살짝이라

거의 못 볼 뻔했고

좀처럼 못 봐서 그립던

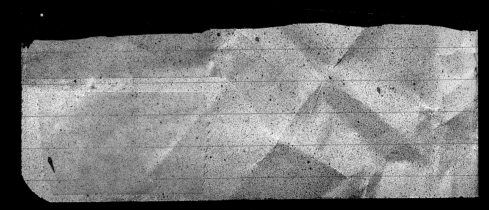

그   찰나의   순간은

다름 아닌

다름 아닌

웃음이 시작되려는 순간이었고

끝내 터지진 않아서

우리가 좋아질=어쩌면 괜찮아질

~~커라는~~ ~~지도 모른다는~~ ~~적어 한다는~~ 수 있다는

티스푼 하나 정도의 희망이었지만

그 순간 내가 상자 속에서

숨을 찾았다는 걸   깨달았고

산소 마스크는

엄마의 입가에

숨겨져 있을 수도

동생의  소리에

있을 수도

여동생의 희한한

손글씨에 있을 수도

아빠의 억센 어깨에 있을 수도

거기에 있던 내 미소가

너무 억지스러워서

볼 때마다

웃음이 터지는

잔뜩 기울어

마름모로 보이는

어색한 가족 사진

액자 속에 있을 수도

또는 먹다 남은

미트로프나

채소로 꽉꽉 차 있는

냉장고에 있을 수도

또는 내 남동생이

랩을 씌우지 않고 돌려서

기름으로 떡진 전자렌지에 있을 수도

나도 그럴 때 있지만

새 스니커즈 냄새나

편한 청바지를 입은 느낌에서나

혹은 갓 세탁한 티셔츠 속에 있을 수도

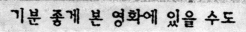

기분 좋게 본 영화에 있을 수도

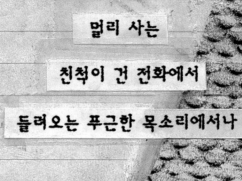

멀리 사는

친척이 건 전화에서

들려오는 푸근한 목소리에서나

내 다리를

끌어안은

작은 손과 팔을

떠올리게 하는

주문 같은

어린 울음 소리에서나

잠자리 동화를 읽어 달라 조르는

맑은 눈망울 속에 있을 수도

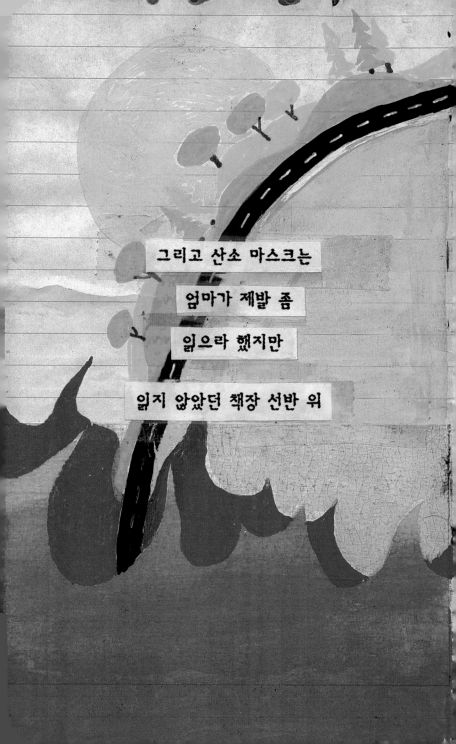

그리고 산소 마스크는

엄마가 제발 좀

읽으라 했지만

읽지 않았던 책장 선반 위

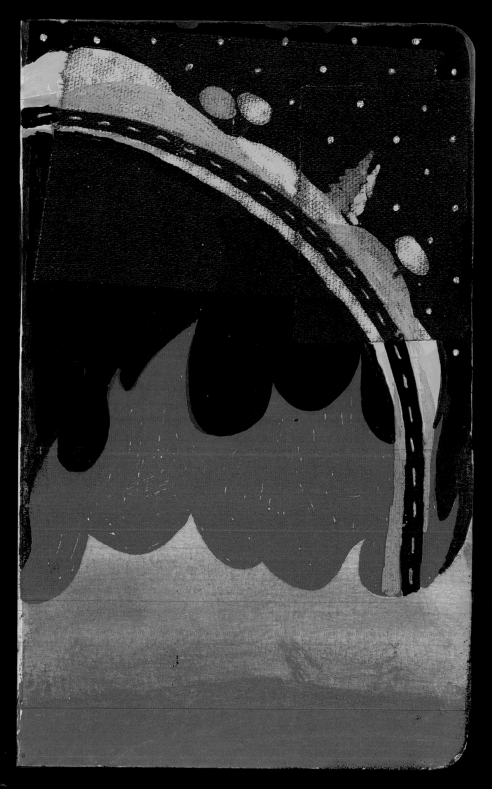

책 속에 있을지도 모르고

숨은

책 페이지 사이에

있을 수도 있고

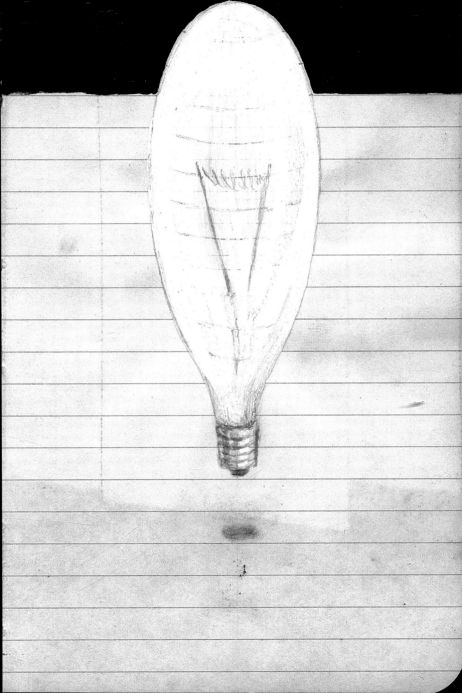

줄 사이나

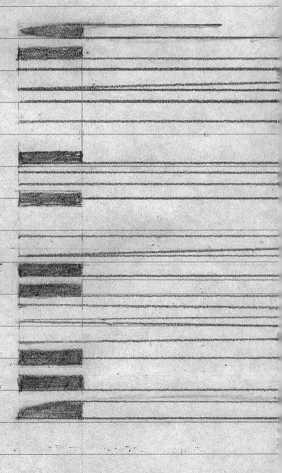

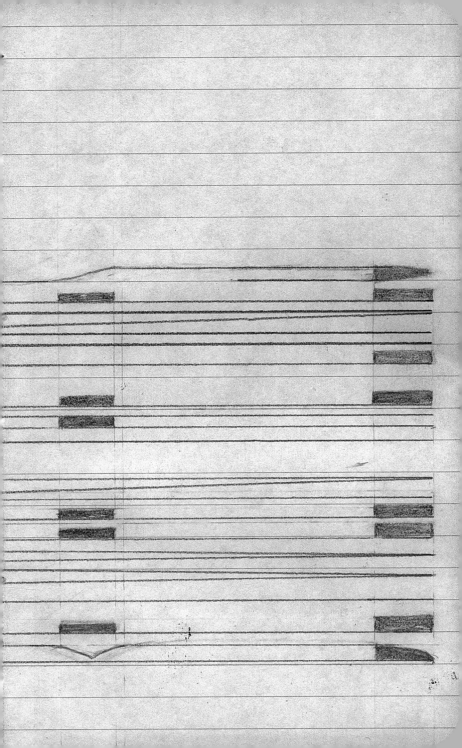

글자

사이

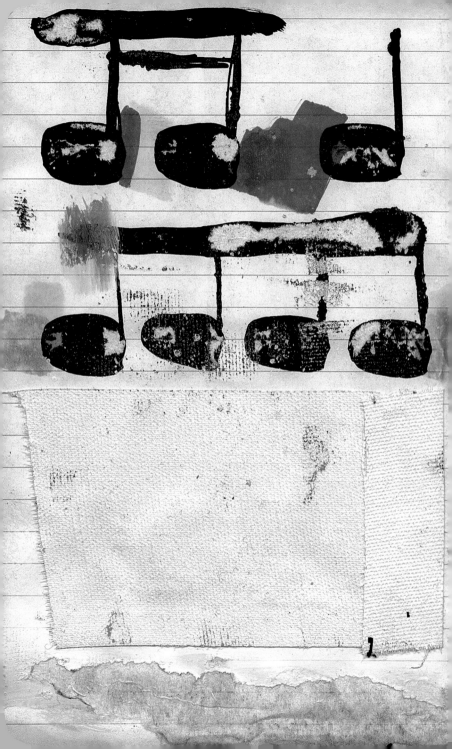

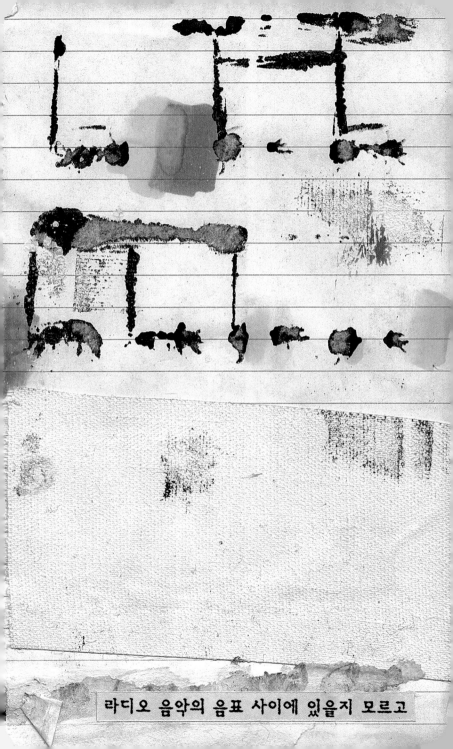

라디오 음악의 음표 사이에 있을지 모르고

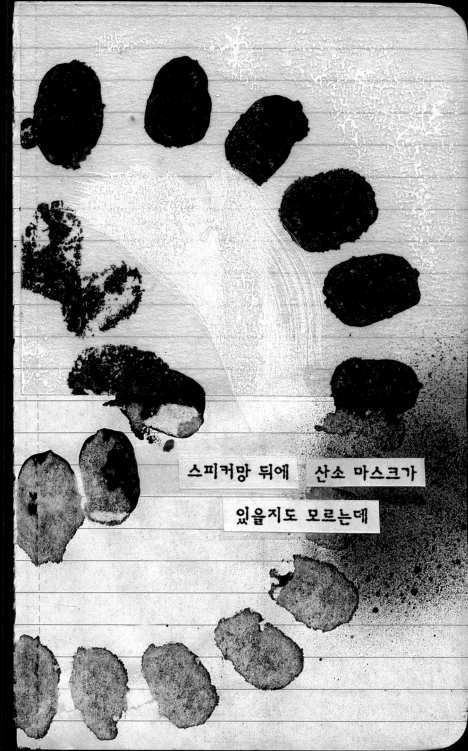

스피커망 뒤에　산소 마스크가

있을지도 모르는데

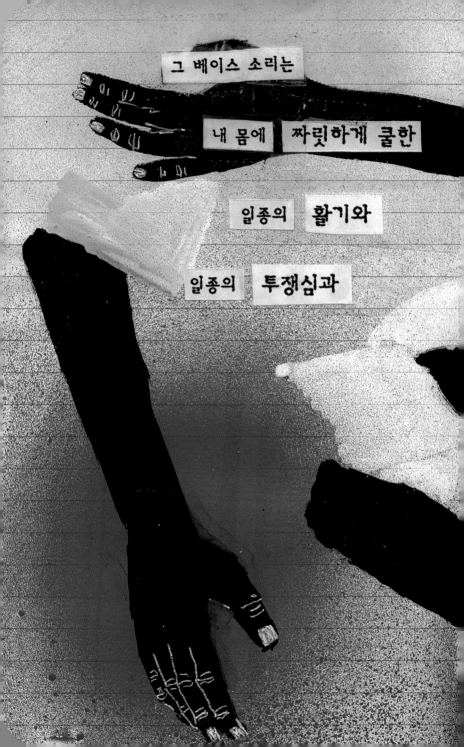

일종의 흐름이

있다는 걸 떠올리게 해 줬고

산소 마스크는

여동생의 곱슬곱슬한 머리에서

자라고 또 자라난

특히나 춤추느라 땀을 쏟을 땐

더욱 그래 보이는 머리에서나

여동생이 남동생에게 공간을

많이 차지한다며

비키라고 하는 소리나

남동생이 이 사이로 내는

바람 소리에 있을지 모르는데

자식들에게 키스하고

들어본 적도 없는 별명으로

우릴 부르는 아버지가

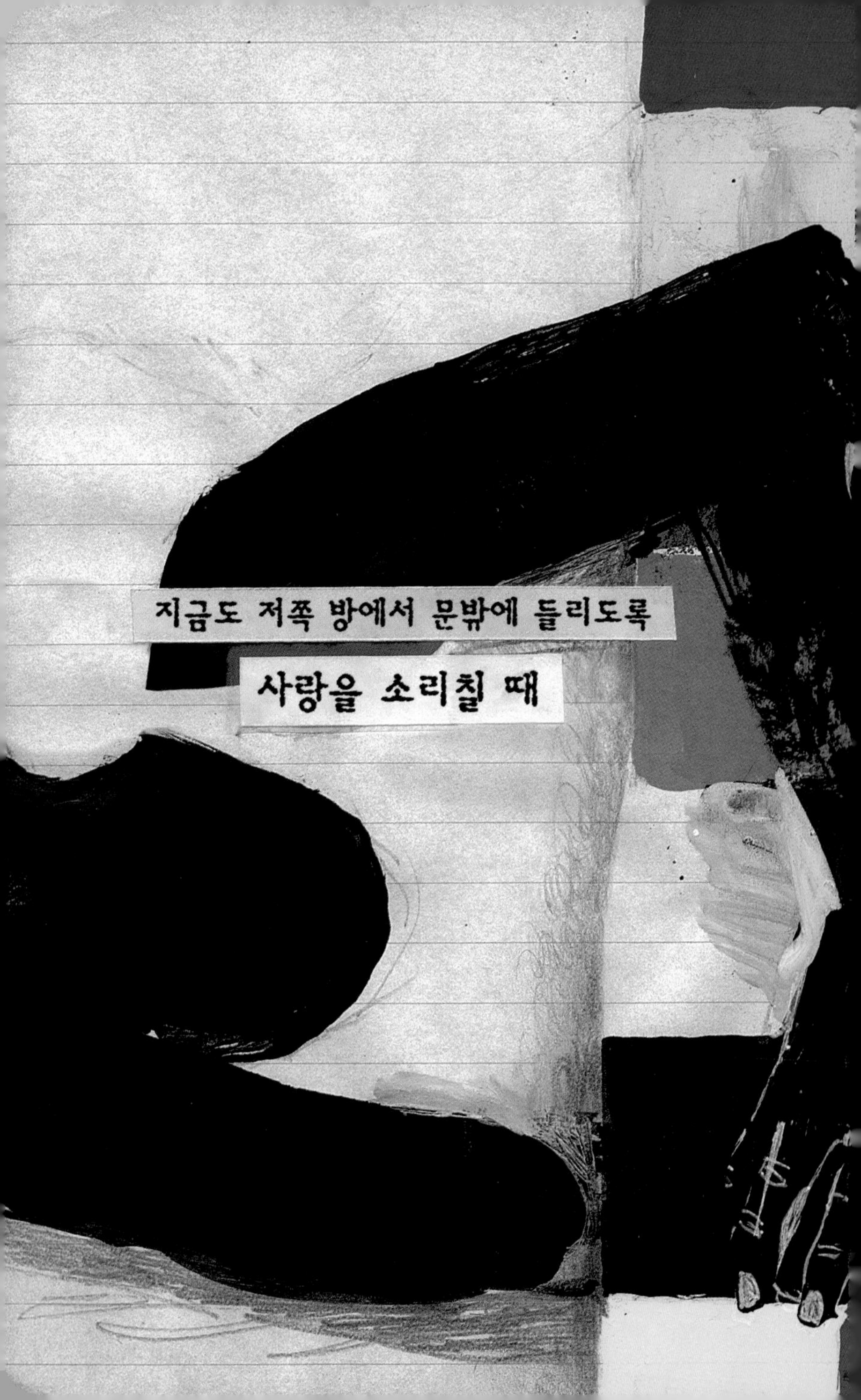

지금도 저쪽 방에서 문밖에 들리도록

사랑을 소리칠 때

남동생의 옆구리를

또 한 번 팔꿈치로

첬더니

나와 싸우려 달려들어서

마치 나한테 바람을

날려 보내는　기분이었고

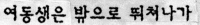

여동생은 밖으로 뛰쳐나가

목소리 높일 준비는 되었으나

나갈 방법을 찾기 전엔

나가지 않을 것 같고

엄마는 안에서　목소리를 높여

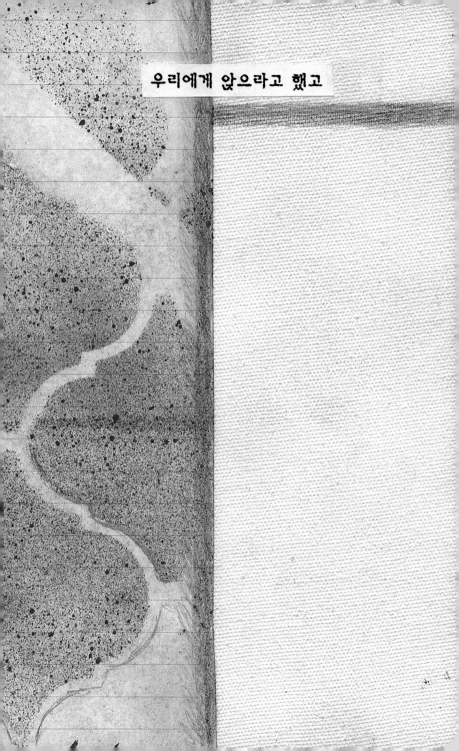

우리에게 앉으라고 했고

아빠는

저쪽 방에서

기침하며

똑같은 소릴 질러대서

같이 그 자리에 앉았을 때

난 혹시

산소 마스크가

이 소파 쿠션 사이에 낀

추억의 부스러기 사이에

숨어 있는 건 아닐지

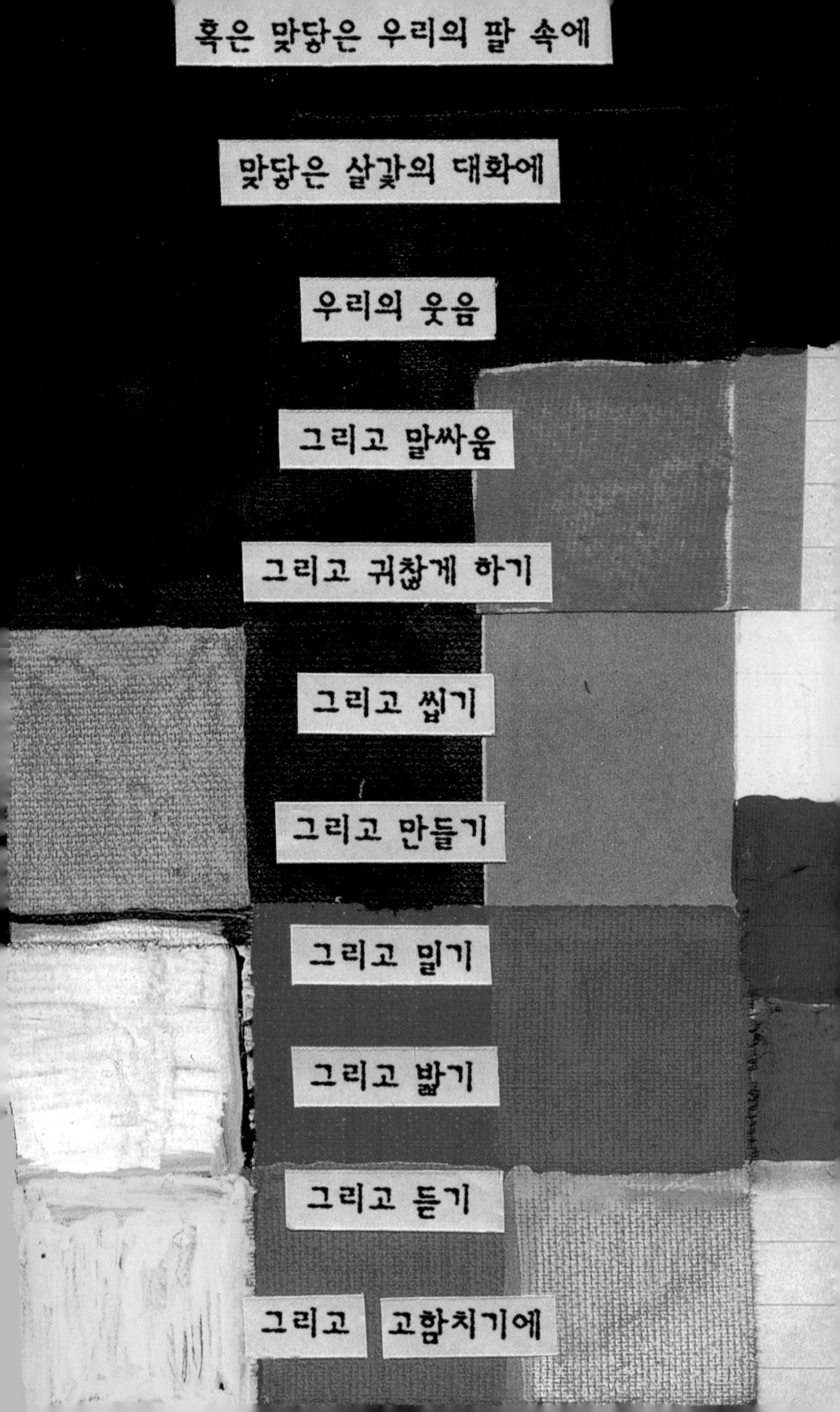

혹은 맞닿은 우리의 팔 속에

맞닿은 살갗의 대화에

우리의 웃음

그리고 말싸움

그리고 귀찮게 하기

그리고 씹기

그리고 만들기

그리고 밀기

그리고 밟기

그리고 듣기

그리고 고함치기에

그리고 서로의 짓궂음을

상쾌한 공기처럼 보는 시선에

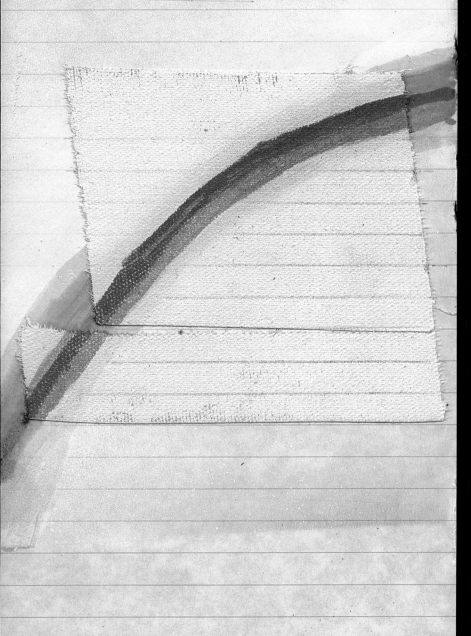

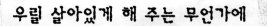
우릴 살아있게 해 주는 무언가에

우릴 지켜주는 무언가에

"현 시각 뉴스를 알려드립니다."

TV 속 여자의 말에

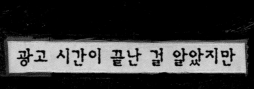

광고 시간이 끝난 걸 알았지만

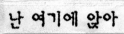

난 여기에 앉아

여전히　여전히　여전히

왜 엄마는

채널을 바꾸지 않는지

왜 뉴스는 주제를
바꾸지 않는지

왜 주제가 다른 것으로
바꿔지 않고

세상은 바꿔지 않는다느니

세상을 대하는 방식이나

서로를 대하는 방식이

바뀌지 않는단 말만 하는지

궁금해하고 있는데

가족들의 얼굴을 하나하나

쳐다보니

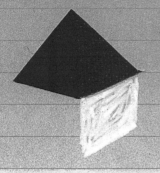

조금은 홀가분해 보였고

그들의 눈과 귀는

이 소파를 향하며

아주 잠깐

웃는 아랫입술이 되었고

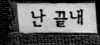

난 끝내

참지 못하고

참지 못하고

리모컨 본 사람 없냐고 물어봤다.

코로 들이마시고

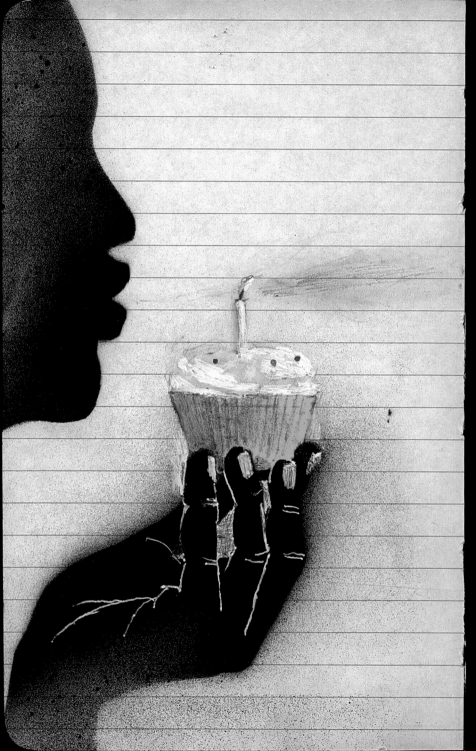

입으로 뱉으며

아직 누구 있어요?

레이놀즈: 자, 이제 작업도 마무리네. 이 책에 대한 감회가 어때?

그리핀: 감회라… 격리 중에 우리가 전혀 다른 책 아이디어를 두고 원격으로 협업하던 게 기억나. 통화도 많이 했는데 둘 다 창작적으로, 정신적으로 꽉 막혀 있는 느낌을 받을 때였어. 별일이 다 있었지. 정말. 어떨 땐 머리가 마비된 느낌이 들기도 했어. 그때 우리 근황 얘기하다가 내가 생각 정리하느라고 스케치 메모장 쓰고 있다고 말했잖아. 늘 갖고 다니는 작은 몰스킨 스케치북에 드로잉이나 색칠이나 콜라주 등을 하는데 이게 나한테는 일종의 산소 마스크 같은 게 됐다고 했어. 그때 기억나는 게, 잊히지도 않네, 네가 한동안 말이 없더니 그러는 거야. "아이디어가 떠올랐어. 우리가 작업하고 있는 것과 다른 아이디어인데 지금은 그렇고 내일 말해 줄게." 난 뭔가 싶었는데 너는 이게 홈런이라고 확신했어. 근데 지금은 자야겠고 아침에 다시 생각해 보겠다고 쓰레기 같은 아이디어가 아닌지 확인하고 싶다고. 하!

레이놀즈: 맞아. 쓰레기 같은 아이디어가 한둘이어야지! 그때 대단했어. 우리 이 프로젝트를 어떻게 만들어야 할지 골머리 썩을 때잖아. 처음부터 똑바로 시작하고 싶었는데 어디부터 시작해야 할지 감이 안 왔어. 우리 그 몇 년 전에 조지아 쪽 산에 있는 작은 오두막에서 떠올렸던 상자 아이디어 있었잖아. 상자… 우리 자신을 어떻게 풀어내는가, 그리고 우리가 상자에 너무 많은 걸 구겨넣고서 그것들을 잊으려고 감정의 벽장 구석에 쑤셔넣는 것에 대한 이야기. 결국 잊히지도 않으면서. 재밌는 건 우리도 우리 사이의 상자들을 풀고 재연결되고 있었다는 점이야. 대단히 흥미롭거나 극적인 것도 아니고 자연스러운 것들을. 우리가 '상자'책을 그렇게 만들려고 몇 번을 시도했지만 지금 다시 생각해 보면 우린 그 책을 만들면 안 됐던 거야. 그 책, 그 아이디어는 나중에 이 책을 만들라고 존재했던 거지. 네 말대로 네가 산소 마스크라는 말을 꺼냈을 때 듣자마자 바로 이거다 싶었어. 하지만 조지아 산에서의 시간이 없었다면 그 말이 귀에 들어오지 않았을 거야. 나한테는 20년 전 우리 대학 기숙사 방이나 브루클린의 자취방 같은 느낌도 들었어. 근데 그때 비하면 우리 한참 컸잖아.

너한테는 달라진 게 뭐가 있어?

그리핀: 진짜 재밌네. 난 그런 식으로 생각한 적도 없거든. 너라도 해서 다행이다.

우린 방향을 바꿨고 같은 걸 떠올렸지.(고맙게도) 네가 다시 연락해서 상자 아이디어를 논

의해 보자고 산소 마스크로 풀어 보자고 했어. 그리고 네가 첫 섹션을 보내줄 테니까 내가 텍스트를 보고 어떤 것이든 생각나는 걸 마음대로 그리고 작업해도 좋다고 했어. 내가 한 페이지에 한 단어를 두든 다음 장에 한 줄을 꽉 채우든 그다음 세 장을 공백으로 두든 넌 괜찮다고 했잖아. 난 그게 정말 기발하더라고. 지금까진 우리의 그림과 시를 엮어서 한 번에 한 페이지씩 만들고 각각을 모은 콜렉션처럼 작업했어. 그래서 각각의 페이지마다 중심 테마를 잡고 하나의 작품처럼 만들고 다음 페이지는 완전히 또 다른 작품이 되는 거였어. 그런데 이 책은 화가가 작품마다 텍스트를 적절하게 맞추는 게 힘들 거란 점을 이해하는 일관적인 내러티브가 있었어. 꼭 맞는지 가늠하려면 꽤 창의적인 감이 필요하거든. 우리 사이에 늘 신뢰가 있긴 했지만 이건 정말 신뢰의 역할을 제대로 보여주는 예라고 생각해. 지난날의 협업이 없었다면 이게 화가로서 나한테 얼마나 어려운 작업인지 넌 이해 못 했을 거야. 일러스트레이션 같은 느낌 없이 텍스트와 이미지를 조화롭게 한다거나 시를 그림처럼 느껴지게 하는 것들은 쉬운 게 아니니까.

레이놀즈: 같은 맥락에서(농담이 아니고) 함께 책들을 만들지 않았다면 넌 언어의 다변적인 속성을 이해할 필요조차 없었을 거야. 언어는 경직된 규칙 안에서 쓰는 것도 중요할 때가 있지만 각각의 단어가 다음 단어와 어떻게 관계하는지에 따라 다른 의미로 쓸 수 있도록 놀이하듯이 즐기는 것도 좋다고 봐. 그림이나 재즈, 심지어 우정과도 그리 다르지 않아.

이번에 놀란 점이 있다면?

그리핀: 솔직히 아직도 언어의 다변적인 속성을 이해하려고 노력 중이지만 이 프로젝트와 작업 과정에서 네가 준 신뢰에서 많은 걸 배우고 있어. 경직성과 유희성은 양면적인 일을 어떻게 동시에 하는 것인지를 설명하는 데 아주 좋은 단어들이야. 네가 재즈란 말을 꺼냈잖아. 재즈 듀오는 노래, 멜로디, 템포를 잘 알고, 그 순간에 집중해서 연주하고 기억에 각인된 멜로디의 배열을 신뢰해. 그 동시에 아주 자유롭게 즉흥 연주를 하고 상대 파트와 주위와 그 날, 그 순간을 살피면서 반응하지. 이 책의 텍스트 섹션에 들어갈 그림 한 점을 그리느라 몇 시간을 쓰고 의도하지 않았던 부분의 텍스트 섹션으로 넘어가기도 했는데 마법처럼 그게 정답이라는 느낌이 들더라고. 작업하는 내내 그랬어. 그래서 이런 모습으로 탄생한 게 놀랍기도 하지만 전혀 놀랍지 않기도 해.

너는? 어떤 게 놀라웠어?

레이놀즈: 솔직히 우리가 또 한 권을 같이 냈다는 게 놀라워! 이상하게 들릴지 모르겠지만 사람들이 우리의 작업을 이해할지 궁금할 때가 많아. 우린 늘 뭔가 시도하잖아. 내 불안감